Оксана Узун

Лучшие блюда
РУССКОЙ
КУХНИ

ОЛМА
МЕДИА ГРУПП

Москва • 2014

САЛАТЫ И ЗАКУСКИ

СУПЫ И ГОРЯЧЕЕ

ВЫПЕЧКА И ДЕСЕРТЫ

СТРОГАНОВСКИЙ САЛАТ

говядина (постная, вареная, охлажденная) — 400 г
маринованные грибы — 250 г
зеленый лук — 6 перьев
перец сладкий красный — 1 шт.

Для кислой сметанной приправы:
густая сметана — $^2/_3$ стакана
хрен — 1 ст. ложка
лимонный сок — 2 ст. ложки
соль, перец — по вкусу

🌿 Нарежьте говядину и грибы тонкими полосками.

🌿 Сладкий перец помойте, очистите от семян и нарежьте соломкой.

🌿 Перья лука мелко нарежьте, положите в миску вместе с грибами, говядиной и перцем.

🌿 Приготовьте приправу, заправьте ею салат и осторожно перемешайте.

4 порции
20 минут

КРОШЕВО

картофель — 5–6 шт.
свекла — 1 шт.
морковь — 1 шт.
соленые огурцы — 2 шт.
краснокочанная капуста — 100 г
соленые грибы — 100 г
3%-ный уксус или лимонный сок — $^1/_2$ стакана

Для соуса:
горчица — 1 ч. ложка
растительное масло — 1 ст. ложка
сахар, соль, молотый перец и зелень — по вкусу

🌿 Капусту нашинкуйте и положите в отдельную посуду, полив небольшим количеством уксуса или соком половинки лимона.
🌿 Очищенные соленые огурцы, вареную свеклу и вареный картофель нарежьте кубиками.
🌿 Грибы нарежьте соломкой (мелкие — оставьте целыми).
🌿 *Приготовьте горчичный соус.* Горчицу, соль, молотый перец и сахар разотрите с растительным маслом, добавьте 3%-ный уксус и хорошо перемешайте.

Раньше составляющие винегрета не перемешивали, а подавали на блюде, выложив отдельными рядами, залив горчичным соусом и посыпав зеленью. Но, безусловно, вы можете смешать все ингредиенты, добавив горчичный соус и зелень по вкусу.

4 порции
40 минут

САЛАТ ИЗ ДИЧИ

рябчик — 1 шт.
картофель — 4—5 шт.
свежие или соленые огурцы — 2 шт.
зеленый салат — 100 г
яйцо — 2 шт.
уксус — 1 ст. ложка
майонез — 150 г
сахарная пудра — ¹/₂ ч. ложки

❧ Вымочите тушку рябчика в молоке, отварите или обжарьте, отделите мясо от костей.
❧ Картофель и яйца сварите.
❧ Мясо рябчика, картофель, огурцы и 1 яйцо нарежьте тонкими ломтиками, листья салата разрежьте на 2—3 части и сложите все в миску.
❧ Посолите и заправьте майонезом, добавив уксус и сахарную пудру.
❧ Уложите салат горкой в салатник, украсьте листочками зеленого салата и дольками яйца, а также ломтиками помидоров и свежих огурцов.

Мясо рябчика можно заменить куриным.

4 порции
40 минут

САЛАТ ИЗ ЖАРЕНОЙ ТРЕСКИ

филе трески — 450 г
сладкий перец — 1 шт.
лук-порей — небольшой кусочек стебля
зеленый салат — несколько листьев
мед — $^1/_2$ ст. ложки
соевый соус — 1 ст. ложка
сок $^1/_2$ лимона
белое вино — 100 мл
оливковое масло — 1 ст. ложка
зелень — по вкусу
растительное масло — для жарки

🌿 Филе рыбы нарежьте небольшими кусочками.

🌿 Смешайте вино, мед, соевый соус и сок лимона. Залейте рыбу полученной смесью и дайте постоять в прохладном месте 25 минут.

🌿 Обжарьте рыбу на разогретом растительном масле до готовности.

🌿 Перец нарежьте соломкой, лук-порей — кольцами, зелень измельчите.

🌿 Перемешайте овощи и рыбу, выложите на листья зеленого салата, полейте оливковым маслом и посыпьте зеленью.

4 порции
55 минут

САЛАТ РАДУГА

красный, желтый и зеленый сладкий перец — по 1 шт.
сыр — 100 г
чеснок — 1 зубчик
зелень — по вкусу

- ❧ Сладкий перец тонко нарежьте.
- ❧ Сыр натрите на крупной терке и смешайте с перцем.
- ❧ Добавьте в майонез толченый чеснок и измельченную зелень и перемешайте.
- ❧ Заправьте салат этим соусом.

САЛАТ ИЗ РЕДЬКИ С МОРКОВЬЮ

редька — 3 шт.
морковь — 3 шт.
чеснок — 4 зубчика
майонез — $^3/_4$ стакана
зелень и соль по вкусу

- ❧ Редьку и морковь тщательно вымойте, очистите и натрите на мелкой терке. Чеснок измельчите.
- ❧ Все перемешайте, посолите и переложите в салатник.
- ❧ Перед подачей на стол заправьте салат майонезом и украсьте зеленью.

2 порции
15 минут

СВЕКЛА С ГРИБАМИ

свекла — 300 г
грибы (сухие или свежие) — 50 г
репчатый лук — 100 г

Для заправки:
растительное масло — 3 ст. ложки
уксус 3%-ный — $^1/_2$ стакана
сахар — 1 ч. ложка
соль — $^1/_2$ ч. ложки
молотый черный перец — по вкусу

- Свеклу вымойте, сварите, охладите и нарежьте соломкой.
- Грибы сварите и нарежьте соломкой.
- Репчатый лук нарежьте полукольцами.
- ***Приготовьте заправку.*** Перемешайте соль, сахар и молотый черный перец. Добавьте уксус. Постоянно помешивая, добавьте растительное масло.
- Все перемешайте и выложите на тарелку горкой.

2 порции
30 минут

ГРИБЫ ЗАЛИВНЫЕ
С ГАРНИРОМ

свежие грибы — 200 г
желатин — 2 ч. ложки
яйцо — 1 шт.
зелень, соль — по вкусу

Для гарнира:
морковь — 1 шт.
соленый огурец — 1 шт.
картофель — 1 шт.
растительное масло —
    2 ст. ложки
3%-ный уксус — 1 ч. ложка

❧ Грибы промойте, очистите, крупно нарежьте и отварите в небольшом количестве подсоленной воды.
❧ Желатин замочите в теплой воде и дайте ему набухнуть.
❧ Грибной отвар процедите.
❧ В набухший желатин влейте 300 г теплого грибного отвара, посолите и прогрейте до полного растворения желатина.
❧ Сваренные грибы разделите на две части. Первую часть мелко нарубите, уложите в формочки для заливного, залейте половиной грибного отвара, смешанного с желатином, и поставьте застывать в холодное место.
❧ Когда грибы застынут, положите в каждую форму крупно нарезанные грибы, ломтик вареного яйца и веточку зелени. Залейте оставшейся смесью желатина с грибным бульоном и поставьте застывать.
❧ *Приготовьте гарнир.* Морковь и картофель сварите и мелко нарежьте. Соленый огурец очистите от кожицы и мелко нарубите. Все перемешайте и залейте растительным маслом, смешанным с уксусом.
❧ Выньте заливные грибы из формочек на блюдо, слегка подогрев низ формочки в теплой воде, и положите вокруг них гарнир.

2 порции
60 минут

РУЛЕТ КУРИНЫЙ

курица — 1 шт.
желатин (или готовое желе для мясного заливного) —
  1 ст. ложка
зеленый и красный сладкий перец — по $^1/_2$ шт.
маслины — 2 ст. ложки
чеснок — 3—4 зубчика
растительное масло — 1 ст. ложка
соль, перец и зелень — по вкусу

- Мясо курицы осторожно отделите от костей, стараясь не повредить кожу. Слегка отбейте мясо, чтобы толщина куска была одинаковой.
- Положите мясо на смазанную маслом и посыпанную специями пищевую фольгу и придайте ему прямоугольную форму.
- Посыпьте мясо специями, положите сверху кусочки перца, маслины, пропущенный через чеснокодавилку чеснок и посыпьте желатином.
- Скрутите рулет как можно плотнее, заверните в фольгу и поставьте в холодное место на 40 минут.
- Затем положите рулет на противень и в течение 45 минут запекайте в духовке при температуре 180—200 °C.
- После того как рулет остынет, подавайте его к столу с овощами как холодную закуску.

В куриный рулет можно добавить чернослив, грибы и курагу.

6-8 порций
1 час 30 минут

СЕЛЕДКА
ПОД ШУБОЙ

филе сельди соленой — 250 г
свекла (мелкая) — 1 шт.
картофель (мелкий) — 2 шт.
морковь — 1 шт.
зеленое яблоко — 1 шт.
яйцо — 2 шт.
репчатый лук — 1 шт.
майонез — 4–5 ст. ложек

❧ Свеклу сварите в отдельной посуде.

❧ Картофель и морковь отварите, яйца сварите вкрутую.

❧ Филе сельди мелко нарежьте и выложите в селедочницу.

❧ Яблоко очистите от кожицы, яйца — от скорлупы.

❧ Картофель, морковь, яблоко, свеклу и 1 яйцо натрите на крупной терке.

❧ На селедку выложите слоями: картофель, затем мелко нарезанный лук, затем морковь, яблоко, натертое яйцо и свеклу.

❧ Полейте селедку под шубой майонезом, украсьте кружочками яйца и свежей зеленью.

4 *порции*

55 *минут*

ПАШТЕТ
СЕЛЕДОЧНЫЙ

сельдь слабой соли — 1 шт.
сливочное масло — 100 г
яйцо — 5 шт.
укроп, черный молотый перец, зелень —
  по вкусу

🌿 Сельдь разделайте и пропустите через мясорубку
  с частой решеткой.
🌿 Сваренные вкрутую яйца разрежьте вдоль и отделите
  желтки.
🌿 Смешайте сельдь с размягченным сливочным маслом,
  мелко рубленным укропом и желтками.
🌿 Массу хорошо перемешайте или взбейте миксером,
  тогда паштет будет воздушным.
🌿 Начините полученным паштетом половинки белков
  яиц.

2 порции
25 минут

РУЛЕТИКИ ИЗ СЕМГИ С СУХАРЯМИ

семга слабой соли (ломтики) — 200 г
красная икра — 3 ст. ложки
сливочное масло — 50 г
черный хлеб — несколько ломтиков
сушеный укроп — по вкусу
сливочное масло для жарки

❧ Размягченное сливочное масло аккуратно смешайте с сушеным укропом и красной икрой.
❧ При помощи стакана вырежьте из черного хлеба кружочки.
❧ Обжарьте хлеб на сливочном масле до образования румяной корочки.
❧ На каждый ломтик семги положите масло с икрой и сверните ломтик рулетиком.
❧ «Поставьте» рулетики на обжаренный черный хлеб.
❧ Подавайте к столу с зеленью и листьями салата.

4 порции
20 минут

УКРОПНЫЕ ЯЙЦА
С КРАСНОЙ ИКРОЙ

яйцо — 4 шт.
красная икра — 4 ст. ложки
сливочное масло — 25 г
зелень укропа

🌿 Яйца сварите вкрутую, остудите, очистите и разрежьте вдоль пополам.

🌿 Аккуратно выньте желтки.

🌿 В каждый белок положите по $1/2$ столовой ложки красной икры.

🌿 Желтки измельчите, замороженное масло натрите на терке.

🌿 Украсьте яйца маслом и измельченными желтками.

🌿 Положите на большое блюдо листья салата, а на каждый лист — половинку яйца с икрой Украсьте блюдо зеленью и подавайте к столу

4 порции
20 минут

ЗАКУСКА ИЗ СЕМГИ В ТАРТАЛЕТКАХ

тарталетки — 4 шт.
семга слабой соли — 100 г
майонез — 1 ст. ложка
жирная сметана — 1 ст. ложка
зелень укропа — несколько веточек

❧ Нарежьте семгу кубиками, зелень измельчите.
❧ Смешайте майонез со сметаной, добавьте зелень, семгу и хорошо перемешайте.
❧ Начините тарталетки полученной смесью.

ЗАКУСКА СЛИВОЧНАЯ С СЕМГОЙ

семга слабой соли — 100 г
сыр сливочный — 100 г
хрен столовый неострый — 1 ст. ложка
зелень и специи — по вкусу

❧ Нарежьте семгу тонкими ломтиками.
❧ Перемешайте сыр с хреном и мелко нарезанной зеленью.
❧ Намажьте ломтики семги сыром и сверните рулетиками.

4 порции
15 минут

ПОМИДОРЫ, ФАРШИРОВАННЫЕ БРЫНЗОЙ С ПРЯНЫМИ ТРАВАМИ

брынза — 200 г
майонез — 4 ст. ложки
чеснок — 1 зубчик
пряные травы, перец — по вкусу

❧ Брынзу разомните, добавьте толченый чеснок, измельченные пряные травы, майонез и хорошо перемешайте.
❧ Нарежьте помидоры крупными кружочками.
❧ Положите на каждый кружочек помидора полученную массу, накройте вторым кружочком помидора, полейте майонезом и посыпьте измельченной зеленью.

Количество слоев можно увеличить.

2 порции
20 минут

КАША ГУРЬЕВСКАЯ

манная крупа — $3/4$ стакана
молоко — 1 л
грецкие орехи — 100 г
цукаты — 100 г
сливочное масло — 50 г
яйцо — 4 шт.
ванилин — 1 щепотка
сахар и соль — по вкусу

❧ **Сварите густую манную кашу**: в кипящее молоко добавьте соль и сахар по вкусу. Постоянно помешивая, тонкой струйкой всыпьте манную крупу и варите до готовности.

❧ Орехи и цукаты мелко порубите.

❧ Кашу слегка охладите, добавьте размягченное сливочное масло, ванилин, орехи и цукаты.

❧ Белки отделите от желтков и взбейте в крепкую пену. Добавьте в кашу желтки, затем аккуратно вмешайте белки.

❧ Выложите смесь в смазанную маслом форму, посыпьте сахаром и запекайте в духовке, разогретой до 180 ˚C, до образования румяной корочки.

6 порций

1 час 10 минут

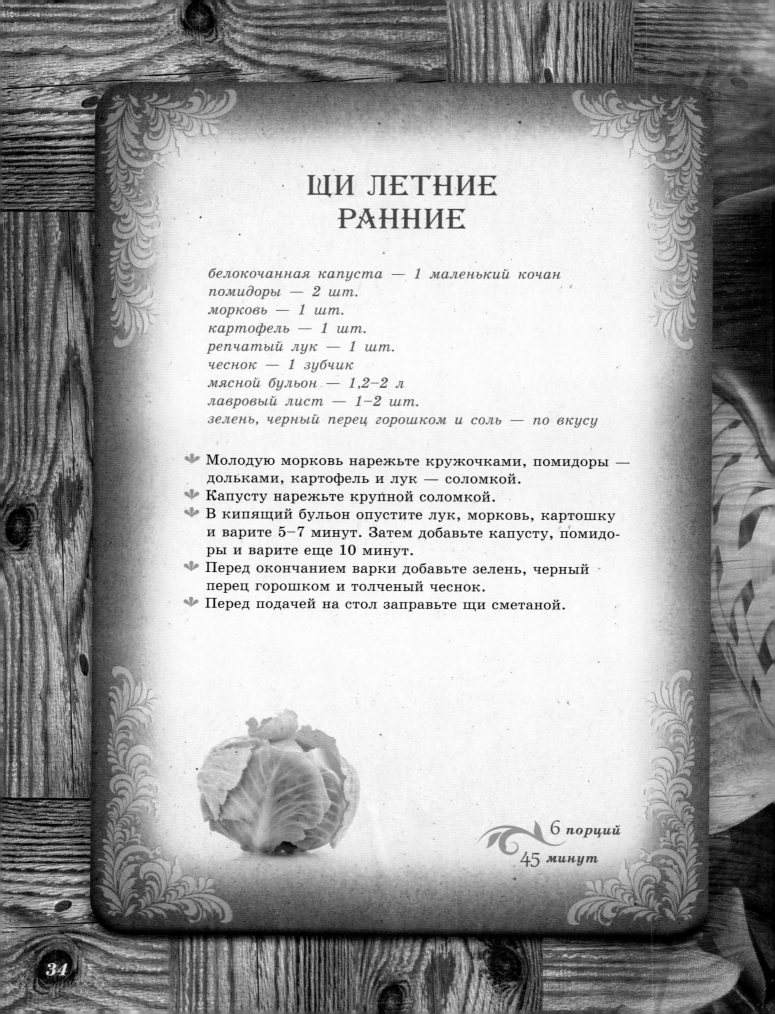

ЩИ ЛЕТНИЕ
РАННИЕ

белокочанная капуста — 1 маленький кочан
помидоры — 2 шт.
морковь — 1 шт.
картофель — 1 шт.
репчатый лук — 1 шт.
чеснок — 1 зубчик
мясной бульон — 1,2–2 л
лавровый лист — 1–2 шт.
зелень, черный перец горошком и соль — по вкусу

* Молодую морковь нарежьте кружочками, помидоры — дольками, картофель и лук — соломкой.
* Капусту нарежьте крупной соломкой.
* В кипящий бульон опустите лук, морковь, картошку и варите 5–7 минут. Затем добавьте капусту, помидоры и варите еще 10 минут.
* Перед окончанием варки добавьте зелень, черный перец горошком и толченый чеснок.
* Перед подачей на стол заправьте щи сметаной.

6 порций

45 минут

ОКРОШКА

отварное мясо — 150 г
картофель вареный — 2 шт.
огурцы — 2 шт.
редиска — 4–5 шт.
сваренные вкрутую яйца — 2 шт.
зеленый лук — несколько перышек
укроп — 2–3 веточки
горчица — 1 ч. ложка
тертый хрен — 1 ч. ложка
сметана — 1 ст. ложка
квас — 1,5–2 л

- Картофель, яйца, огурцы, редиску и мясо мелко нарежьте.
- В отдельной посуде разотрите мелко нарезанный лук и укроп с солью.
- Добавьте горчицу и хрен, все хорошо перемешайте и залейте холодным квасом.
- Подавайте окрошку к столу со сметаной.

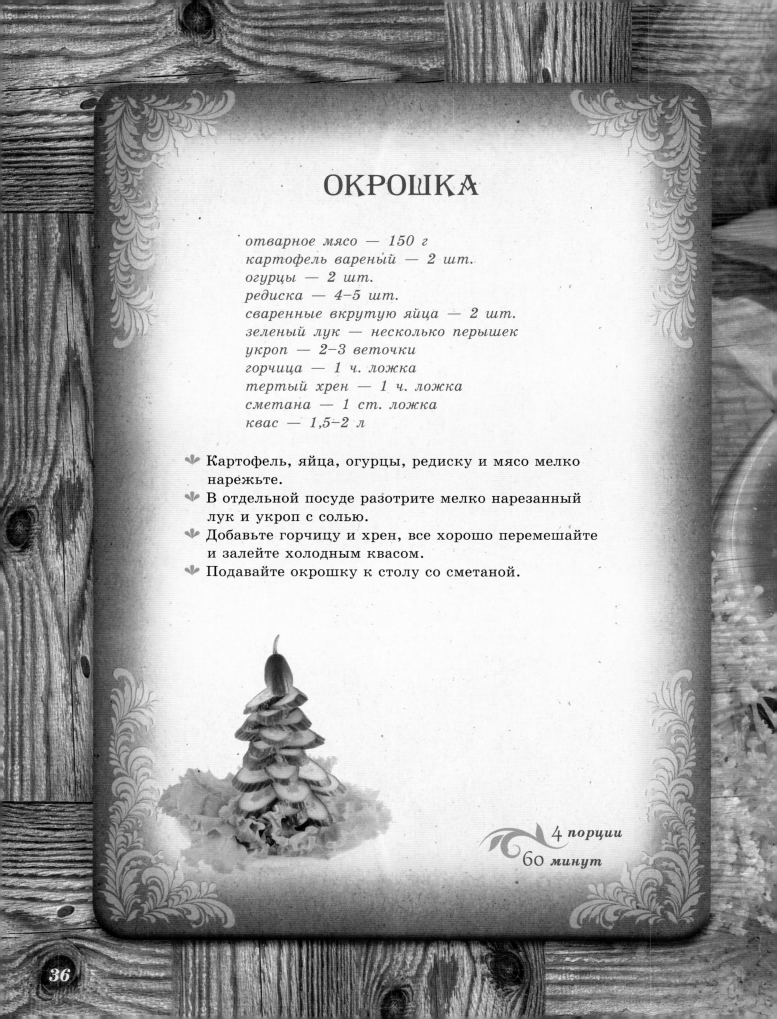

4 порции
60 минут

ГОВЯДИНА ЗАПЕЧЕННАЯ

говяжья вырезка — 1 кг
растительное масло — 4 ст. ложки
соль и перец — по вкусу

❦ Мясо очистите от пленок, посолите, поперчите и обмажьте растительным маслом.
❦ Плотно оберните мясо фольгой, положите на противень и запекайте в духовке при температуре 180–200 °C в течение 40–45 минут.
❦ Подавайте к столу горячим или холодным.

Если вы измельчите чеснок и смешаете его с 2 ст. ложками растительного масла, а затем польете говядину этим соусом, ее вкус станет еще пикантнее.

5 порций
50 минут

МЯСО
С ЧЕРНОСЛИВОМ

мясо (свинина, говядина) — 500 г
репчатый лук — 1 шт.
морковь — 1 шт.
бульон — $^1/_2$ стакана
вода — $^1/_2$ стакана
крахмал — 1 ч. ложка
сухое белое вино — 2 ст. ложки
чернослив — 10 шт.
соль и специи — по вкусу

❦ Крупно нарежьте лук и морковь и обжарьте до золотистого цвета на растительном масле.

❦ Добавьте мясо и обжарьте до румяной корочки.

❦ Долейте в обжаренное мясо с луком и морковью бульон и немного потушите.

❦ Разведите крахмал в воде, добавьте в тушеное мясо и прокипятите.

❦ Добавьте чернослив, вино, соль и специи и тушите на медленном огне еще 15–20 минут.

4 порции
45 минут

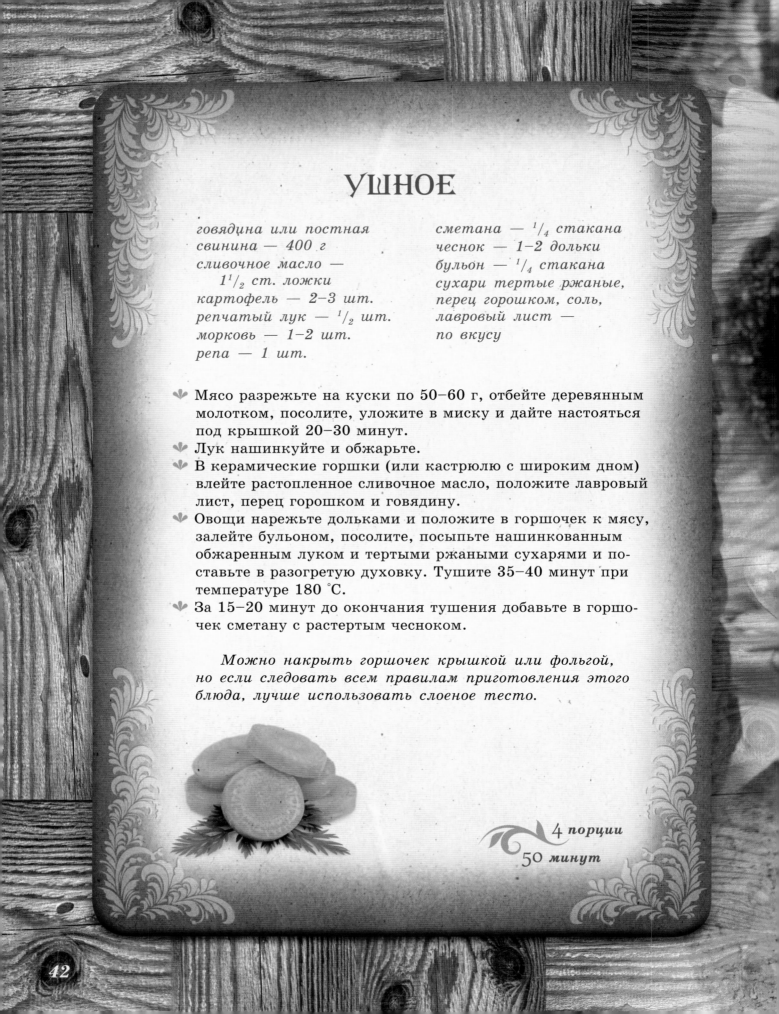

УШНОЕ

говядина или постная
свинина — 400 г
сливочное масло —
 $1^1/_2$ ст. ложки
картофель — 2–3 шт.
репчатый лук — $^1/_2$ шт.
морковь — 1–2 шт.
репа — 1 шт.

сметана — $^1/_4$ стакана
чеснок — 1–2 дольки
бульон — $^1/_4$ стакана
сухари тертые ржаные,
перец горошком, соль,
лавровый лист —
по вкусу

- Мясо разрежьте на куски по 50–60 г, отбейте деревянным молотком, посолите, уложите в миску и дайте настояться под крышкой 20–30 минут.
- Лук нашинкуйте и обжарьте.
- В керамические горшки (или кастрюлю с широким дном) влейте растопленное сливочное масло, положите лавровый лист, перец горошком и говядину.
- Овощи нарежьте дольками и положите в горшочек к мясу, залейте бульоном, посолите, посыпьте нашинкованным обжаренным луком и тертыми ржаными сухарями и поставьте в разогретую духовку. Тушите 35–40 минут при температуре 180 °C.
- За 15–20 минут до окончания тушения добавьте в горшочек сметану с растертым чесноком.

Можно накрыть горшочек крышкой или фольгой, но если следовать всем правилам приготовления этого блюда, лучше использовать слоеное тесто.

4 порции
50 минут

СВИНЫЕ РЕБРЫШКИ ЗАПЕЧЕННЫЕ

свиные ребрышки — 1,5 кг
соус Табаско — несколько капель
репчатый лук — 1 шт.
чеснок — 1 зубчик
горчица — 1 ст. ложка
соевый соус — 1 ст. ложка
растительное масло — 2 ст. ложки
соль, перец — по вкусу

❧ Уложите ребрышки в смазанную маслом форму костью вверх.

❧ *Приготовьте маринад.* Перемешайте мелко нарезанный лук, измельченный чеснок, горчицу, соль, перец, соевый соус и растительное масло.

❧ Густо обмажьте ребрышки соусом и поставьте в холодное место на 40 минут.

❧ Запекайте в духовке, разогретой до 180–200 °C, в течение 2 часов (через час переверните ребрышки).

❧ Подавайте ребрышки к столу со свежими овощами, любым острым соусом или с хреном.

6 порций

2 часа 40 минут

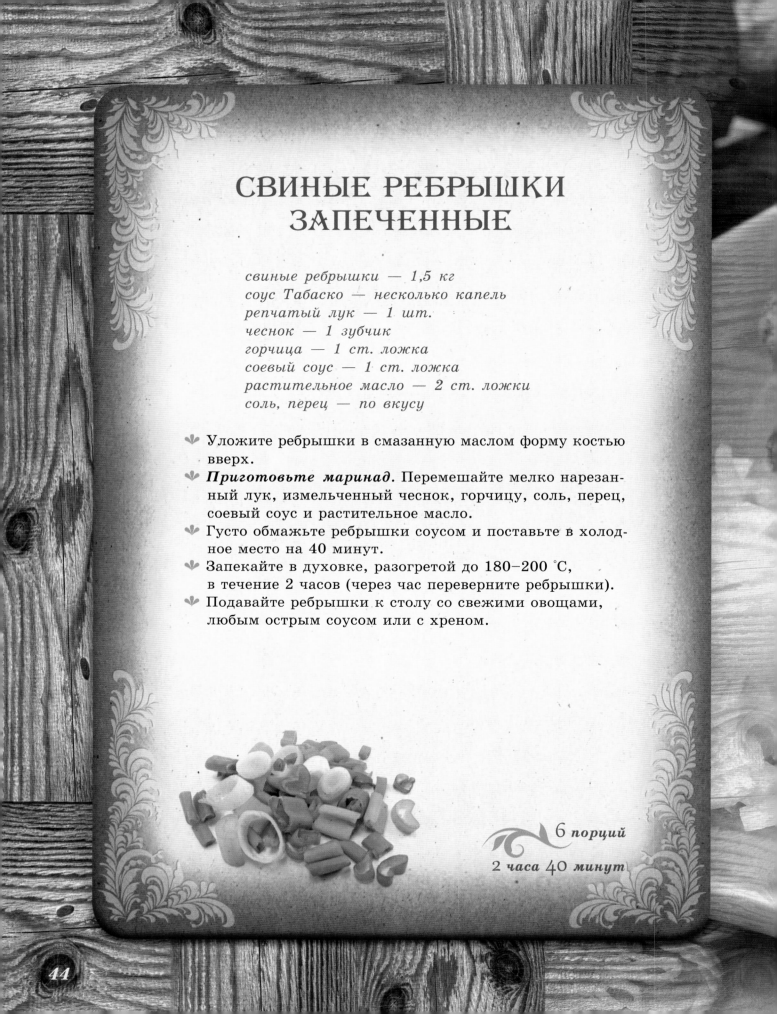

КОТЛЕТЫ «МЕДВЕЖЬЯ ЛАПА»

свинина — 300 г
говяжья печень — 100 г
репчатый лук — 1 шт.
чеснок — 1 зубчик
мука — 2 ст. ложки
сыр — 50 г
сливки — 1 ст. ложка
яйцо — 2 шт.
сливочное масло — 50 г
подсушенный белый хлеб — для панировки

❧ Мясо, печень, лук и чеснок пропустите через мясорубку с частой решеткой.
❧ Вымесите фарш, добавьте в него сливки, 1 яйцо и перемешайте.
❧ *Сделайте панировку.* Нарежьте хлеб тонкими полосками и смешайте с сыром, натертым на крупной терке.
❧ Сформируйте из фарша круглые котлеты, обваляйте их сначала в муке, затем в яйце и наконец в панировке, а затем обжарьте на растительном масле до золотистого цвета.
❧ Положите на каждую котлету небольшой кусочек сливочного масла и поставьте в духовку, разогретую до температуры 180 °C, на 15 минут.

6 порций
50 минут

КУРИЦА БОРОДИНО

курица (небольшая) — 1 шт.
бородинский хлеб — $^1/_2$ буханки
чернослив — 100–150 г
молодая морковь — 2 шт.
сливочное масло — 25 г
соль и перец — по вкусу

❦ Курицу натрите солью, перцем и поставьте в холодное место на 25–30 минут.

❦ Перемешайте чернослив с крупно нарезанной морковью и брусочками сливочного масла и нафаршируйте курицу.

❦ Бородинский хлеб нарежьте, удалив корочки, и замочите в небольшом количестве воды, чтобы получилась густая хлебная кашица.

❦ Обмажьте курицу хлебной кашицей и в течение 1 часа запекайте в духовке при температуре 180 °C.

4 порции

1 час 30 минут

ОКОРОК ПО-ДЕРЕВЕНСКИ

окорок на кости — 400 г
соль, перец, специи — по вкусу

❧ Окорок посолите, поперчите, добавьте специи и поставьте в прохладное место на 15–20 минут.
❧ Обжарьте окорок с двух сторон на разогретом растительном масле в небольшой сковороде, чтобы он не потерял форму.
❧ Сбрызните окорок горячей водой, накройте фольгой и запекайте в духовке при температуре 160–180 °C в течение 25–30 минут.

2 порции
50 минут

ПОДЖАРКА ИЗ СВИНИНЫ

свинина — 600 г
репчатый лук — 3 шт.
томатная паста — 3 ст. ложки
соль, специи и зелень — по вкусу

❧ Лук нарежьте кольцами и обжарьте на разогретом растительном масле в течение 5–7 минут.
❧ Мясо нарежьте небольшими полосками.
❧ Добавьте мясо к луку и жарьте на разогретой сковороде до готовности.
❧ Добавьте томатную пасту и тушите еще 5–7 минут.

4 порции
20 минут

ФОРЕЛЬ В ФОЛЬГЕ

форель некрупная — 2 шт.
лимон — 2 ломтика
растительное масло — 2 ст. ложки
несколько веточек укропа
соль, перец и специи — по вкусу

❧ Форель посолите, поперчите и положите внутрь несколько веточек зелени и ломтик лимона.

❧ Смажьте пищевую фольгу растительным маслом, заверните в нее рыбу и уложите на противень.

❧ Запекайте форель в духовке при температуре 180 °C в течение 20—25 минут.

2 порции
35 минут

ОСЕТРИНА
В ПРЯНЫХ ТРАВАХ

филе осетрины — 500 г
растопленное сливочное масло — 4 ст. ложки
пучок укропа и $^1/_2$ пучка зелени базилика
лимон — $^1/_2$ шт.
соль и перец — по вкусу

❧ Осетрину нарежьте порционными кусками, посолите, поперчите и сбрызните лимонным соком.
❧ Обжарьте рыбу на сливочном масле до образования румяной корочки.
❧ Зелень промойте, обсушите и измельчите.
❧ На сковороду с растопленным маслом выложите слой зелени, затем рыбу и вновь слой зелени.
❧ Накройте сковороду фольгой или крышкой и в течение 15–20 минут запекайте блюдо в духовке при температуре 180 °С.

2 порции
45 минут

СУДАК ОРЛИ

филе судака — 350 г

Для кляра:
яйцо — 2 шт.
мука — 2 ст. ложки
пиво — 2 ст. ложки
растительное масло — 2 ст. ложки
сок $\frac{1}{2}$ лимона
соль и перец — по вкусу

❧ Филе судака нарежьте небольшими кусочками и замаринуйте: посолите, поперчите, сбрызните лимонным соком и поставьте в холодное место на 30–40 минут.

❧ *Приготовьте кляр*. Возьмите 2 яйца, отделите белки от желтков и взбейте белки в крепкую пену. Желтки посолите, добавьте муку, пиво, растительное масло и хорошо перемешайте. Соедините белки с желтками.

❧ Обсушите рыбу салфеткой, нанижите кусочки на длинные деревянные шпажки, обмакните в кляр и обжарьте на сковороде на раскаленном растительном масле.

2 порции

1 час 10 минут

ШАШЛЫК РЫБНЫЙ

филе красной рыбы — 500 г
репчатый лук — 1 шт.
лимон — $^1/_2$ шт.
зелень укропа и петрушки, соль и перец —
по вкусу

🌿 Рыбу нарежьте крупными кусками, посолите, поперчите и сбрызните лимонным соком.

🌿 Лук нарежьте кольцами, зелень измельчите.

🌿 В глубокой посуде перемешайте куски рыбы с зеленью и луком и поставьте в прохладное место на 20 минут.

🌿 Нанижите куски рыбы на небольшие деревянные шампуры и обжарьте на разогретом растительном масле до готовности.

2 порции

55 минут

КАБАЧКИ ФАРШИРОВАННЫЕ

кабачки — 2 шт.
мясо — 300 г
рис — $^1/_2$ стакана
репчатый лук — 1 шт.
соль, зелень и перец —
   по вкусу

Для соуса:
репчатый лук — 1 шт.
морковь — 1 шт.
бульон (вода) — 1 стакан
чеснок — 1 зубчик
сметана — 2 ст. ложки
томатная паста —
   1 ст. ложка

❧ Кабачки нарежьте поперек кусками шириной 3 см и аккуратно удалите мякоть.

❧ Мясо пропустите через мясорубку с луком и зеленью, посолите и поперчите. Рис отварите в подсоленной воде.

❧ Смешайте рис с фаршем, если фарш получится слишком крутым, добавьте немного холодной воды.

❧ Нафаршируйте кабачки, уложите в глубокую форму и залейте соусом.

❧ *Приготовьте соус*. Обжарьте лук, морковь, нарезанную мякоть кабачков, добавьте толченый чеснок, бульон, соль, перец, сметану и томатную пасту. Дайте соусу прокипеть.

❧ Тушите кабачки в соусе, накрыв крышкой, в течение 35—45 минут.

4 порции

1 час 10 минут

ПЕЛЬМЕНИ

Для теста:
пшеничная мука —
   1 ¹/₂ стакана
яйцо — 1 шт.
соль — ¹/₂ ч. ложки
вода — ¹/₂ стакана

Для фарша:
свинина — 150 г
говядина — 150 г
баранина — 150 г
репчатый лук — 1 шт.
соль — 1 ч. ложка
вода — 6 ст. ложек
яйцо — 1 шт. для смазки
перец и зелень — по вкусу

- ❦ ***Приготовьте тесто.*** Добавьте в воду яйцо и соль и перемешайте до однородной массы.
- ❦ В глубокую емкость насыпьте горкой муку и сделайте в середине углубление. Постоянно помешивая, налейте в это углубление яичную смесь.
- ❦ Вымесите однородное тесто, оставьте на 20–30 минут, чтобы легче раскатывалось, а затем раскатайте тонким пластом и смажьте яйцом.
- ❦ Стаканом вырежьте из теста одинаковые кружочки.
- ❦ ***Приготовьте фарш.*** Говядину, свинину и баранину нарежьте кусками и пропустите через мясорубку с частой решеткой вместе с луком и зеленью.
- ❦ Фарш посолите, поперчите, добавьте воду и хорошо перемешайте.
- ❦ На середину каждого кружочка теста положите мясной фарш и защипите края.
- ❦ Варите пельмени в большом количестве слегка подсоленной воды при слабом кипении 8–10 минут. Подавайте к столу с растопленным сливочным маслом или со сметаной.

5 порций
60 минут

ПИРОЖКИ С МЯСОМ

сдобное тесто
мясо — 500 г
репчатый лук — 1 шт.
сливочное масло — 50 г
соль, перец и зелень — по вкусу

- Приготовьте дрожжевое тесто.
- Мясо отварите, пропустите через мясорубку, посолите и поперчите.
- Лук мелко нарежьте и обжарьте на сливочном масле до золотистого цвета.
- Перемешайте лук и мясо, добавьте зелень.
- Раскатайте из теста тонкие лепешки, на середину выложите фарш и защипите края.
- Жарьте пирожки в раскаленном растительном масле в глубокой сковороде или во фритюрнице.

5 порций

1 час 15 минут

ПИРОГ СЫТНЫЙ

Для теста:
молоко — $^3/_4$ стакана
дрожжи — 15 г
мука — 2 стакана
яйцо — 3 шт.
сливочное масло — 75 г
сахар — $^1/_4$ стакана
соль — $^1/_4$ ст. ложки

Для первой начинки:
рис — 3 ст. ложки
свежие грибы — 150 г
сливочное масло —
    4 ст. ложки

вода — 3 стакана
репчатый лук — 1 шт.
пшеничная мука —
    1 ч. ложка
соль, перец — по вкусу

Для второй начинки:
капуста — 700 г
яйцо — 2 шт.
сливочное масло —
    4 ст. ложки
соль — по вкусу

❧ Раскатайте дрожжевое опарное тесто широким тонким пластом и вырежьте кружочки диаметром 6–7 см.
❧ *Приготовьте первую начинку.* Отварите грибы и рис. Грибы и лук мелко нарежьте, обжарьте в масле и выложите на тарелку. В этой же сковороде обжарьте муку и разведите ее $^1/_2$ стакана грибного отвара. Соедините соус, грибы и рис.
❧ *Приготовьте вторую начинку.* Капусту нашинкуйте и обжарьте в масле до мягкости. Яйца очистите, порубите и смешайте с капустой, добавив соль.
❧ На середину каждого кружочка выложите начинку и защипите края, чтобы получился пирожок.
❧ В смазанную маслом форму уложите первый слой пирожков и смажьте маслом. Сверху положите следующий слой и т. д., пока форма не заполнится.
❧ Выпекайте пирог в духовке при температуре 200–220 °C.

Этот пирог не разрезают, а разбирают
на части при помощи вилки, ложки и ножа.

8 порций

1 час 30 минут

БЛИНЧИКИ-МЕШОЧКИ

молоко — 0,5 л
яйцо — 3 шт.
мука — $^1/_2$ стакана
сахарный песок —
    1 ст. ложка
соль — 1 щепотка
растительное масло —
    для жарки
сыр «Чечил» —
    несколько «ленточек»
или зеленый лук —
    несколько перышек
сметана — по вкусу

Для начинки:

белокочанная капуста —
    $^1/_4$ небольшого кочана
сваренные вкрутую
    яйца — 2 шт.
репчатый лук — 1 шт.
сливочное масло — 50 г
соль, специи, укроп —
    по вкусу

❦ Яйца взбейте с сахаром и солью. Добавьте молоко, муку и хорошо перемешайте.

❦ Выпекайте небольшие блинчики на разогретом растительном масле. Они не должны быть слишком тонкими, иначе их трудно будет начинить.

❦ **Приготовьте начинку.** Лук мелко нарежьте и обжарьте на растительном масле. Добавьте сливочное масло, нарезанную кубиками капусту и слегка обжарьте. Накройте крышкой и тушите 10–15 минут. Добавьте укроп, соль, специи и перемешайте с рублеными яйцами.

❦ На середину блинчика выложите начинку, поднимите края и завяжите блинчик сыром «Чечил» или пером зеленого лука в виде мешочка.

❦ Подавайте блинчики-мешочки горячими со сметаной или растопленным сливочным маслом.

6 порций
50 минут

БЛИНЧИКИ С ЯБЛОКАМИ

яйцо — 3 шт.
молоко — 0,5 л
мука — 1 стакан
сахарный песок — 1 ст. ложка
соль — 1 ч. ложка
растопленное сливочное масло — 1 ст. ложка
яблоко — 2 шт.
сахарный песок — 4 ст. ложки
вода — $^1/_4$ стакана
сок $^1/_2$ лимона

- Отделите белки от желтков и взбейте в крепкую пену.
- Разотрите желтки с сахаром, добавьте молоко, соль, муку, сливочное масло и хорошо все перемешайте.
- Аккуратно соедините белки с молочной смесью.
- Мелко нарежьте яблоки, сбрызните лимонным соком, положите в сотейник с толстым дном и посыпьте сахаром.
- Припустите (проварите) яблоки на медленном огне в течение 3–4 минут так, чтобы кусочки не разварились.
- Испеките блинчики на растительном масле.
- На одну половинку блинчика положите яблоки и накройте ее второй половинкой.
- Подавайте блинчики со сметаной или взбитыми сливками. Можно добавить корицу.

4 порции
45 минут

ВАТРУШКИ

Для теста:
мука пшеничная — 600 г
сухие дрожжи — 45 г
сливочное масло — 100 г
молоко — 250 мл
яйцо — 2 шт.
сахарный песок —
    1 ст. ложка
соль — 1 щепотка
цедра 1 лимона
яичный желток для
смазывания — 1 шт.

Для начинки:
творог — 0,5 кг
яичные желтки — 2 шт.
изюм — 100 г
ванилин — 1 щепотка
сахарный песок —
    $^1/_2$ стакана

🌿 ***Приготовьте тесто.*** В теплое молоко добавьте дрожжи и дайте ему немного постоять. В полученную смесь, помешивая, добавьте сахар, щепотку соли, яйца, растопленное сливочное масло, лимонную цедру и муку. Замесите тесто.

🌿 Дайте тесту подняться в теплом месте, еще раз вымесите, накройте полотенцем и оставьте на 20 минут. Затем разделите тесто на небольшие порции и раскатайте из каждой лепешку.

🌿 ***Приготовьте начинку.*** Разотрите желтки с сахаром, добавьте ванилин, творог, изюм и хорошо все перемешайте.

🌿 Положите начинку на середину каждой лепешки и защипите края.

🌿 Уложите ватрушки защипанным краем вниз, а наверху сделайте крестообразный надрез. Когда ватрушка будет выпекаться, этот надрез «раскроется», и начинка окажется снаружи.

🌿 Выпекайте ватрушки в течение 20 минут в духовке, разогретой до 180 °С.

6 порций

1 час 10 минут

ВАТРУШКИ
С ЛЕСНЫМИ ЯГОДАМИ

Для теста:
молоко — 200 мл
мука — 2 стакана
яйцо — 2 шт.
сливочное масло — 50 г
соль — $^1/_2$ ч. ложки
сахарный песок —
    2 ст. ложки
сухие дрожжи —
    $^1/_2$ пакетика

Для начинки:
творог — 200 г
лесные ягоды
(земляника, черника,
малина) — 2 стакана
яйцо — 1 шт.
сахарный песок —
    2 ст. ложки

❧ *Приготовьте тесто.* Разведите дрожжи в теплом молоке, добавьте соль, сахар, яйца, растопленное сливочное масло и муку. Хорошо все перемешайте и дайте тесту подняться.

❧ *Сделайте начинку.* Разотрите творог с яйцом и сахаром, добавьте ягоды и аккуратно перемешайте, чтобы ягоды остались целыми.

❧ Раскатайте из теста небольшие лепешки.

❧ На середину каждой лепешки положите начинку и заверните края.

❧ Положите ватрушки на смазанный маслом противень.

❧ Выпекайте при температуре 180 °C в течение 15–20 минут.

4 порции
60 минут

ПИРОГ С ЧЕРНИКОЙ

мука — 500 г
дрожжи сухие — 1 пакетик
молоко — 1 стакан
сахарный песок — 3 ст. ложки
сливочное масло — 150 г
яичные желтки — 2 шт.
черника — 1 кг
ванильные сухари — 200 г
соль, корица — 1 щепотка
сахарная пудра

🌿 Смешайте муку с дрожжами. Добавьте желтки, моло-ко, соль, 2 ст. ложки сахарного песка, растопленное сливочное масло и хорошо все перемешайте.

🌿 На 30 минут поставьте тесто в теплое место.

🌿 Пропустите через мясорубку ванильные сухари, до-бавьте 1 ст. ложку сахарного песка и щепотку корицы.

🌿 Раскатайте тесто и выложите на смазанный маслом противень. На тесто ровным слоем положите измель-ченные сухари, а на них — чернику.

🌿 Выпекайте пирог в духовке при температуре 200 °C в течение 20 минут.

🌿 Готовый пирог посыпьте сахарной пудрой.

6 порций
60 минут

ПИРОГ ЯБЛОЧНЫЙ С РЕВЕНЕМ

яблоки — 2 шт.
ревень — 50 г

Для теста:
маргарин — 300 г
мука — 400 г
сахарный песок —
    2 ст. ложки

Для крема:
яйцо — 2 шт.
сметана — 1 стакан
сахарный песок —
    1 стакан

- Маргарин порубите, добавьте сахар, муку и хорошо все перемешайте.
- Вымесите тесто, пока оно не станет однородным, и оставьте в холодном месте на 15 минут.
- Взбейте яйца со сметаной и сахаром.
- Очистите яблоки и нарежьте дольками.
- Замочите ревень в холодной воде на 15–20 минут, очистите и нарежьте длинными тонкими полосками.
- Выложите тесто в форму, уложите на него слой яблок, затем слой ревеня и еще один слой яблок. Залейте пирог сметанно-яичным кремом.
- Выпекайте пирог в течение 15–20 минут в духовке при температуре 200 °С.

6 порций
50 минут

КУЛИЧИ ПАСХАЛЬНЫЕ

мука — 7 $\frac{1}{2}$ стакана
молоко — 1 $\frac{1}{2}$ стакана
дрожжи — 50 г
сливочное масло — 400 г
яйцо — 5 шт.

сахар — 2 стакана
соль — 1 ч. ложка
порошок шафрана —
* 1 ст. ложка*
или кардамон — 30 зерен

❧ Вечером замесите тесто из 1 $\frac{1}{2}$ стакана теплого молока, дрожжей и 3 $\frac{1}{2}$ стакана муки и поставьте в теплое место.

❧ На следующий день тщательно вымесите тесто, добавьте соль, сливочное масло, сахар, 5 желтков, шафран или толченые зерна кардамона.

❧ После того как тесто станет однородным, добавьте взбитые сливки и оставшуюся муку. Посуду с тестом накройте полотенцем и поставьте в теплое место.

❧ Готовое тесто положите в смазанную размягченным сливочным маслом форму, оставьте на некоторое время, чтобы поднялось, затем смажьте яйцом и поставьте в духовку.

❧ Продолжительность выпечки кулича зависит от его размера и может длиться от 1 часа до 1,5–2 часов.

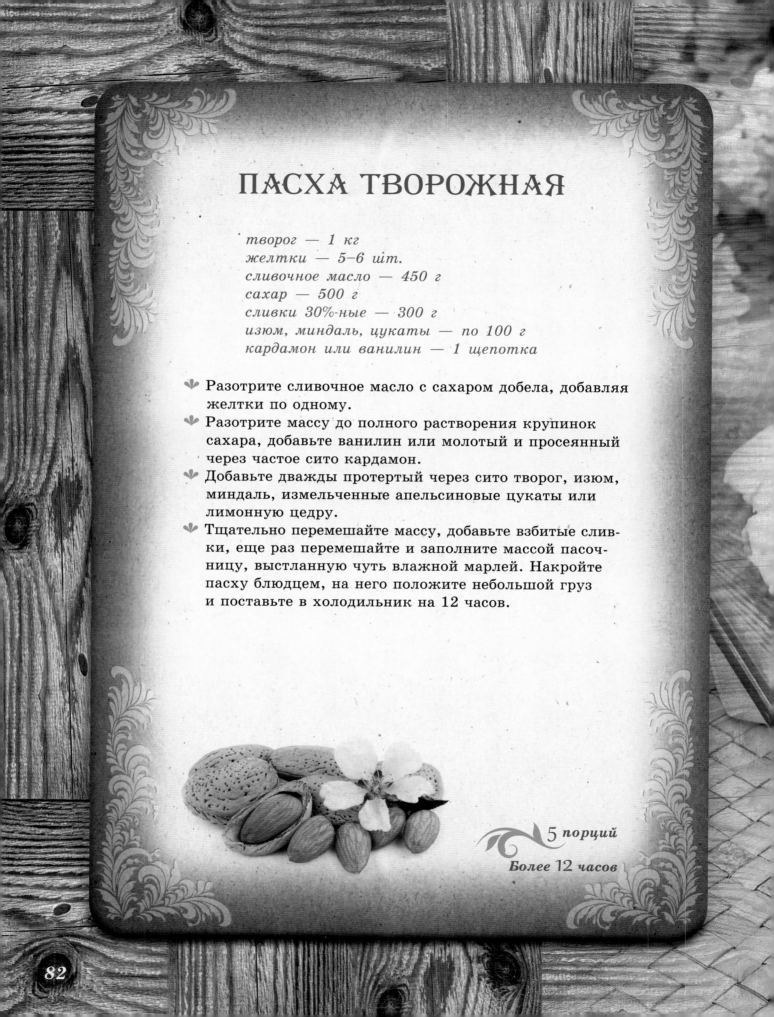

ПАСХА ТВОРОЖНАЯ

творог — 1 кг
желтки — 5–6 шт.
сливочное масло — 450 г
сахар — 500 г
сливки 30%-ные — 300 г
изюм, миндаль, цукаты — по 100 г
кардамон или ванилин — 1 щепотка

❧ Разотрите сливочное масло с сахаром добела, добавляя желтки по одному.
❧ Разотрите массу до полного растворения крупинок сахара, добавьте ванилин или молотый и просеянный через частое сито кардамон.
❧ Добавьте дважды протертый через сито творог, изюм, миндаль, измельченные апельсиновые цукаты или лимонную цедру.
❧ Тщательно перемешайте массу, добавьте взбитые сливки, еще раз перемешайте и заполните массой пасочницу, выстланную чуть влажной марлей. Накройте пасху блюдцем, на него положите небольшой груз и поставьте в холодильник на 12 часов.

5 порций
Более 12 часов

ЯЙЦА КРАШЕНЫЕ

❧ Вареные яйца обязательно должны быть на празднич-
ном пасхальном столе. Красное яйцо — это символ
Воскресения, символ Пасхи.

❧ Как правильно покрасить яйца? Лучше всего, как
в старину, пользоваться натуральными красителями:
луковой шелухой, березовыми листьями, соками раз-
личных плодов и овощей.

❧ Луковая шелуха — самый известный и доступный
всем способ. В зависимости от цвета шелухи яйца по-
лучаются от светло-рыжих до темно-коричневых.

❧ Если вы хотите, чтобы цвет был более насыщенным,
шелухи надо взять побольше и варить ее около полу-
часа, а затем опустить яйца в отвар, варить в течение
10 минут, довести до кипения, вынуть и остудить.

❧ Один из популярных способов окрашивания яиц —
кипячение в красящем отваре. Положите яйца в кастрюлю, залейте водой, добавьте чайную ложку уксуса
и специальный пищевой краситель, а затем кипятите
в течение 15 минут. Если яиц много, они получатся
более светлыми.

ФРУКТОВО-ДЫННЫЙ САЛАТ

дыня (небольшая, круглая) — 1 шт.
ягоды и фрукты (сезонные) — 300 г
вино (сладкое десертное) — ¹/₄ стакана

- Сделайте из дыни корзиночку (*см. фото*).
- Удалите мякоть дыни и нарежьте ее кубиками.
- Фрукты и ягоды помойте и нарежьте крупно.
- Положите фрукты, ягоды и мякоть дыни в корзинку, залейте десертным вином и дайте настояться в холодном месте 20—25 минут.
- Охладите десерт и подавайте к столу.

2 порции
45 минут

ДЫНЯ С МОРОЖЕНЫМ

дыня (небольшая, круглая) — 1 шт.
ягоды — 300 г
мороженое (сливочное) — 400 г

- Разрежьте дыню пополам и удалите семечки.
- Аккуратно вырежьте мякоть и нарежьте кубиками.
- Дайте мороженому немного растаять и размягчиться, затем добавьте в него кубики дыни и поставьте в морозильник.
- Когда мороженое застынет, нарежьте его или сделайте шарики с помощью круглой ложки.
- Выложите мороженое в половинку дыни и украсьте ягодами.

4 порции
25 минут

ЗАПЕЧЕННЫЙ ФРУКТОВЫЙ САЛАТ

виноград зеленый — 250 г
персики — 2 шт.
ежевика — 125 г
полусухое вино —
¹/₂ стакана

Для безе:
белки яичные — 3 шт.
лимонный сок —
2 ч. ложки
лимонная цедра —
1 щепотка
сахарная пудра — 75 г

🌿 Ягоды винограда разрежьте пополам и удалите косточки.

🌿 На несколько секунд опустите персики в кипяток, обдайте холодной водой, снимите кожицу, удалите косточки и нарежьте тонкими дольками.

🌿 Ежевику ополосните холодной водой и хорошо обсушите.

🌿 Положите фрукты в огнеупорную форму, влейте вино, перемешайте, накройте пищевой пленкой и оставьте на 30 минут, чтобы пропитались.

🌿 Белки с лимонным соком взбейте в крепкую пену, постепенно добавляя лимонную цедру. и с помощью кондитерского мешочка выдавите маленькие розетки безе на фрукты.

🌿 Запекайте десерт в духовке, разогретой до 250 °C, в течение 10 минут, пока верхушки безе не зарумянятся.

4 порции
50 минут

ЯБЛОКИ, ЗАПЕЧЕННЫЕ С ОРЕХАМИ И МЕДОМ

яблоки — 2 шт.
грецкие орехи — 100 г
мед — 4–6 ст. ложек
яичный белок — 1 шт.
сахарная пудра — 100 г

❧ Орехи измельчите и смешайте с медом.
❧ Удалите из яблок сердцевинку и наколите кожицу (чтобы яблоки не лопнули во время запекания).
❧ Заполните середину яблок орехово-медовой начинкой.
❧ Выложите яблоки в глубокую, смазанную маслом форму, и подлейте 2–3 ст. ложки воды.
❧ Запекайте яблоки в духовке, разогретой до 180 °С, в течение 10 минут.
❧ Белок взбейте с сахарной пудрой в крепкую пену и положите на яблоки.
❧ Дайте духовке остыть до 150 °С и запекайте яблоки, пока белок не подрумянится.

2 порции

60 минут

КВАС ХЛЕБНЫЙ

ржаной хлеб — 1 кг
дрожжи — 25 г
сахарный песок — 200 г
мята — несколько листочков
изюм — 50 г
вода — 5 л

- Хлеб нарежьте и высушите в духовке.
- Сухари залейте теплой кипяченой водой, дайте постоять 3–4 часа, затем добавьте сахар и дрожжи.
- Через 5–6 часов, когда квас начнет пениться, процедите его, разлейте в стеклянную посуду и поставьте в холодильник.
- Через 10–12 часов квас готов.

24 часа

КИСЕЛЬ КЛЮКВЕННО-МОЛОЧНЫЙ

Для молочного киселя:
молоко — 0,5 л
сахар — 3 ч. ложки
ванильный сахар —
    1 щепотка
крахмал — 1 ст. ложка

Для клюквенного киселя:
клюква — 1 стакан
вода — 1,5 л
сахар — $^2/_3$ стакана
крахмал — 1 ст. ложка
сахарная пудра

❧ *Приготовьте молочный кисель.* Вскипятите 1,5 стакана молока, добавьте сахар, ванильный сахар и перемешайте.

❧ Разведите крахмал в $^1/_2$ стакана молока и тщательно перемешайте. Добавьте полученную смесь в горячее молоко и варите на медленном огне до загустения.

❧ *Приготовьте клюквенный кисель.* Протрите клюкву через сито, жмых залейте водой и прокипятите.

❧ Процедите отвар, добавьте сахар, доведите до кипения и влейте клюквенный сок.

❧ Разведите крахмал в $^1/_4$ стакана холодной воды и тщательно перемешайте. Влейте разведенный крахмал в клюквенный отвар и варите на медленном огне до загустения, постоянно помешивая.

❧ Подавая к столу, сначала налейте в высокие стаканы молочный кисель, а затем аккуратно добавьте клюквенный. Посыпьте кисель сахарной пудрой.

8 порций
15 минут

ББК 36.997
УДК 641
У34

Узун О.

У34   ЛУЧШИЕ БЛЮДА РУССКОЙ КУХНИ. — М.: «ОЛМА Медиа Групп», 2014. — 96 с.

ББК 36.997

ISBN 978-5-373-05587-1

Оксана Узун

Лучшие блюда
РУССКОЙ КУХНИ

Издание для досуга

Ответственный за выпуск Н. Памфилова
Компьютерный дизайн и верстка В. Рахмилевич
Оформление обложки А. Щавелев

Подписано в печать 18. 07. 2013. Формат 60x90 $^1/_8$. Печать офсетная.
Усл. печ. л. 12. Изд. № ОП-14-1545-КУ. Тираж 2 000 экз.
(Зак. № к2022 тираж 2000 экз., зак. № к2023 тираж 1000 экз. в коробке)

В соответствии с ФЗ-436 для детей старше 0 лет

ОЛМА Медиа Групп
129085, Москва, Звездный бульвар, д. 21, стр. 3, пом. I, ком. 5.
Почтовый адрес: 143421, Московская область,
Красногорский район, 26 км автодороги «Балтия»,
Бизнес-парк «Рига Лэнд», стр. 3
http://www.olmamedia.ru/

Отпечатано в Китае